CLAUDE DEBUSSY

Suite bergamasque

Édition de Roy Howat

DURAND

Avertissement

Cette édition critique de la *Suite bergamasque* constitue un tiré à part des ŒUVRES COMPLÈTES DE CLAUDE DEBUSSY, Série I, volume 1.

Note

This critical edition of *Suite bergamasque* is an excerpt from the COMPLETE WORKS OF CLAUDE DEBUSSY, Series I, volume 1.

AVANT-PROPOS

Le terme « bergamasque » (de la ville italienne Bergame) se rapportait, à l'origine, à une danse du seizième siècle qui, plus tard, devint inextricablement liée à la *commedia dell'arte*. Paul Verlaine se rattacha à cette tradition dans ses *Fêtes galantes* auxquelles Debussy puisa pour la composition d'un grand nombre de mélodies auquel appartiennent deux versions de « Clair de lune ».

Vers 1890, Debussy décida de s'inspirer de la bergamasque pour le sujet d'une suite française pour clavier. À cette époque, il n'avait fait publier aucune œuvre pour piano solo, mais, vers le début de 1891, l'éditeur Antoine Choudens se mit à acheter ses œuvres pour piano, et, en février de la même année, il lui remit 200 francs pour la *Suite bergamasque*.

Pour des raisons que l'on ignore, Choudens n'imprima jamais la *Suite bergamasque*, et, en 1895, elle fut rachetée par Georges Hartmann, homme altruiste et éditeur "intermédiaire" qui s'était rallié à la musique de Debussy (à la suite d'une faillite lui interdisant de publier sous son propre nom, Hartmann continuait à éditer *de facto* sous le label de la firme d'Eugène Fromont). Hartmann, lui non-plus, ne publia jamais la *Suite bergamasque* car Debussy lui promettait des œuvres plus récentes à la place. Lorsque Hartmann mourut subitement en avril 1900, Debussy se trouva confronté aux demandes financières de l'ayant droit d'Hartmann, un certain Général Bourgeat. Ces demandes furent finalement satisfaites en permettant à Eugène Fromont de publier ou de republier un certain nombre des œuvres de jeunesse de Debussy, dont la *Suite bergamasque*.

Tout ceci prit du temps et entraîna quelques complications ; l'une des principales complications naquit du fait que, dès 1903, Debussy avait projeté d'écrire une « *Suite bergamasque* » totalement différente, en trois mouvements, « Masques » et « L'île joyeuse » [*sic*] étant les volets extérieurs. Bien que Fromont eût annoncé la publication imminente de cette dernière, *Masques* et *L'Isle joyeuse* furent finalement publiés séparément par l'éditeur Durand en 1904, laissant à Fromont la *Suite bergamasque* originale de 1890. Lorsque cette dernière fut imprimée, au milieu de l'année 1905 (avec la date de « 1890 » imprimée sous le titre, conformément aux désirs du compositeur), Debussy avait renommé les troisième et quatrième mouvements (dont les titres d'origine étaient « Promenade sentimentale » et « Pavane ») et il avait modifié la musique, rajoutant diverses touches de modalité et de contrepoint tout en coupant certaines redondances. Ces révisions, faites au cours des mois de mars et avril 1905, figurent sur les épreuves existantes ; elles nous montrent des passages raturés après la mesure 31 du Prélude, ainsi qu'après les mesures 72 et 96 du Menuet.

Dans un article paru dans une revue (« Coaching with Debussy », *The Piano Teacher*, septembre–octobre 1962), Maurice Dumesnil parle de son travail avec Debussy sur « Clair de lune » : Debussy lui avait conseillé de commencer la pièce avec les deux pédales enfoncées, de jouer les triolets du début avec une légère souplesse pour éviter toute raideur, de ne faire aucune exagération du crescendo principal de la pièce, d'effectuer un rubato (à la deuxième page) qui soit « compris dans la phrase entière, jamais dans un seul temps », de garder l'expression de la musique toujours digne, et de penser en termes d'orchestration. De plus, Debussy attira l'attention de Dumesnil sur l'importance du *do* ♭ à la mesure 59.

PRINCIPES D'ÉDITION

Le texte musical est celui des *Œuvres Complètes de Claude Debussy*, Série 1, volume 1. On trouvera le détail des procédés éditoriaux et des variantes relatives aux différentes sources dans les Notes critiques de ce volume. Les silences et les altérations éditoriaux sont ici imprimés en petits caractères. Toute indication entre crochets [ ] est éditoriale. Les mentions entre parenthèses ( ) appartiennent aux sources ; on ne doit donc pas les considérer comme des ajouts éditoriaux. Les liaisons ainsi que les soufflets de crescendo et de decrescendo ajoutés par l'éditeur sont indiqués comme suit : ⌢ , ⤙ , ⤚ . Une attention particulière doit être apportée aux détails suivants :

- Prélude, mes. 2 : la 6ᵉ note de la portée supérieure apparaît ici telle qu'elle se trouve imprimée dans les sources, toutefois, la note voulue était peut-être *la*₅, tout comme aux mes. 8, 67 et 73 ;

- Menuet, mes. 87 : les sources placent un ♮ devant chaque *fa* du premier temps, cependant l'analogie avec la mes. 91 (ainsi que des ♯ superflus, dans les sources, devant les *sol* de la basse à la mes. 90) laisse entendre que la note voulue est *fa* ♯, comme dans l'édition actuelle ;

- Passepied, mes. 1 : dans les sources, l'indication de mesure est **C** ; le contexte et l'indication de tempo suggèrent la rédaction actuelle (comme dans le « Passepied » similaire inclus dans *Le Roi s'amuse* [1882] de Léo Delibes) ;

- Passepied, mes. 114 : la 2ᵉ note de la portée inférieure apparaît ici telle qu'elle se trouve imprimée dans les sources, pourtant, la note voulue était peut-être *do*₄ ♯, tout comme à la mesure 11.

Roy HOWAT

FOREWORD

"Bergamasque" (from the Italian town of Bergamo) originally denoted a sixteenth-century dance, and later became inextricably linked to the Italian *commedia dell'arte.* Paul Verlaine embodied this tradition in his *Fêtes galantes* poetry, from which Debussy composed numerous songs including two settings of "Clair de lune".

Around 1890 Debussy decided to make berga-masque the subject of a French keyboard suite. At the time he still had no solo piano music published, but early in 1891 the publisher Antoine Choudens started to buy his piano works, and in February that year paid him 200 francs for *Suite bergamasque.*

For reasons unknown Choudens left *Suite berga-masque* unprinted, and in 1895 it was bought back by Georges Hartmann, an altruistic publisher-by-proxy who had taken up the cause of Debussy's music. (Following a bankruptcy that prevented him from publishing in his own name, Hartmann continued to publish *de facto* through the firm of Eugène Fromont.) Hartmann, too, left the *Suite bergamasque* unpublished, this time because Debussy was promising him newer works instead. When Hartmann died unexpectedly in April 1900, Debussy was confronted with financial demands from Hartmann's heir, a Général Bourgeat. These were eventually met by allowing Eugène Fromont to publish or republish several of Debussy's early works, including *Suite bergamasque.*

This took some time and involved several compli-cations, not least the fact that by 1903 Debussy had planned an entirely different three-movement "*Suite bergamasque*", with "Masques" and "L'île joyeuse" [*sic*] as its outer pieces. Although Fromont announced the latter suite's imminent publication, *Masques* and *L'Isle joyeuse* eventually appeared separately in 1904 from the publisher Durand, leaving Fromont the original *Suite bergamasque* of 1890. By the time the latter went to print in mid-1905 (with the date "1890" printed under the title at the composer's insistence), Debussy had renamed the third and fourth movements (they were originally titled "Promenade sentimentale" and "Pavane") and revised the music, adding various modal and contrapuntal touches as well as cutting some superfluous material. These revisions, made over March–April 1905, are visible in the surviving proofs, including deleted passages after bar 31 of the Prelude, as well as after bar 72 and bar 96 of the Menuet.

In a magazine article ("Coaching with Debussy", *The Piano Teacher*, September–October 1962), Maurice Dumesnil recounted having worked with Debussy on "Clair de lune": Debussy advised starting the piece with both pedals down, a gentle flexibility in the opening triplets to avoid stiffness, no exaggeration of piece's main crescendo, rubato (for the second page) to be "within the entire phrase, never on a single beat", the music's expression always to remained dignified, and to think in terms of orchestration. Debussy also drew Dumesnil's attention to the importance of the C♭ at bar 59.

EDITORIAL PRINCIPLES

The present musical text is that of the *Œuvres Complètes de Claude Debussy*, Series 1, volume 1. Details of editing procedure and source variants can be found in that volume's Critical notes. Editorial rests and accidentals are printed here in smaller type. All indications within square brackets [ ] are editorial. Any indications in parentheses ( ) appear thus in sources and are not editorial additions. Editorial ties, slurs and hairpin dynamics are printed ⌢, ◁, ▷. Attention is drawn to the following details:

– Prélude, bar 2: upper staff note 6 appears here as printed in sources; however, a_5 may have been intended, as in bars 8, 67 and 73

– Menuet, bar 87: sources print ♮ to each F in beat 1; analogy with bar 91, however (plus superfluous ♯ signs, in the sources, to the bass G octave in bar 90), suggests confusion or aberration and that F♯ is intended as in the present edition

– Passepied, bar 1: sources print the time signature as 𝄵; the context and tempo heading suggest the present reading (as in the similar "Passepied" from Léo Delibes's *Le Roi s'amuse* of 1882)

– Passepied, bar 114: lower staff note 2 appears here as printed in sources; however, c_4♯ may have been intended, as in bar 11.

Roy HOWAT

SUITE BERGAMASQUE

Suite bergamasque

Prélude

Claude DEBUSSY

© 2001 Éditions DURAND
Paris, France

D. & F. 15453

Dépôt légal n° 2284
Tous droits réservés pour tous pays.

Menuet

Clair de Lune

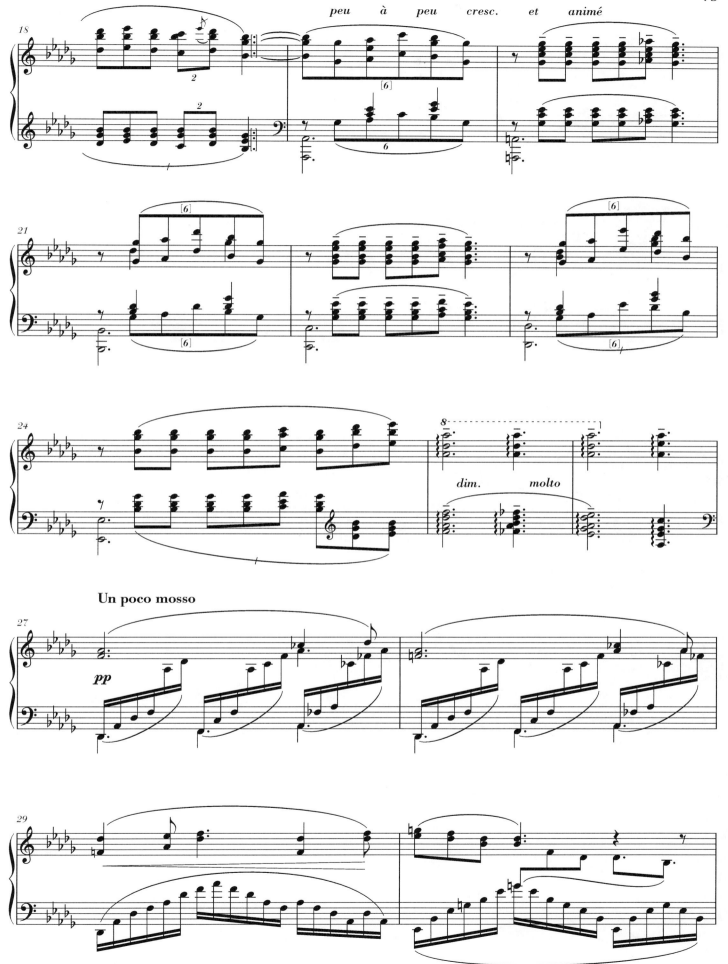

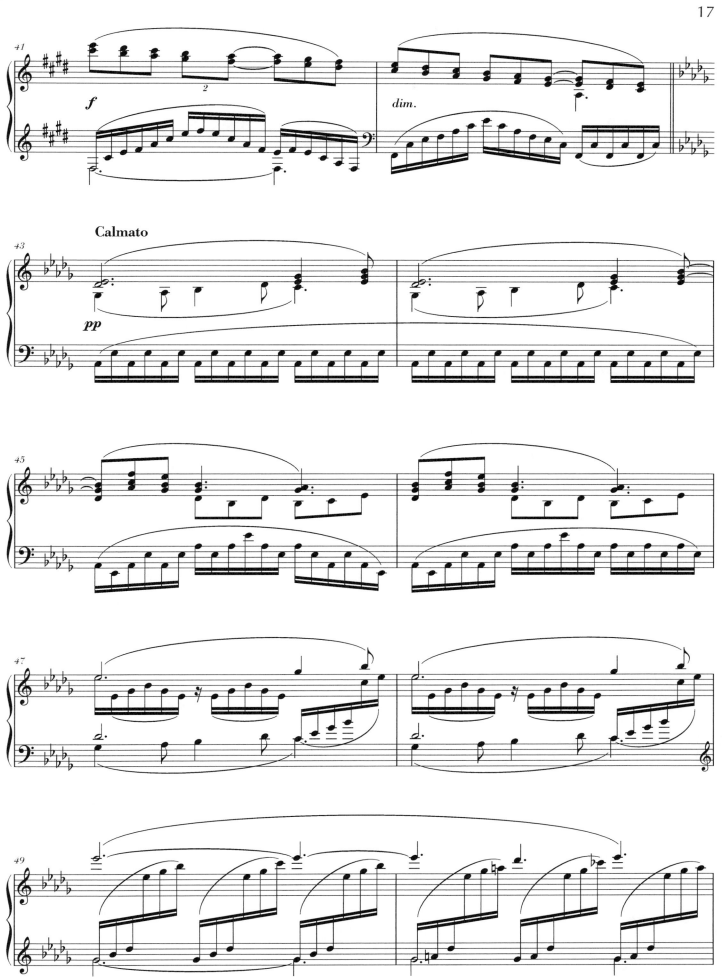

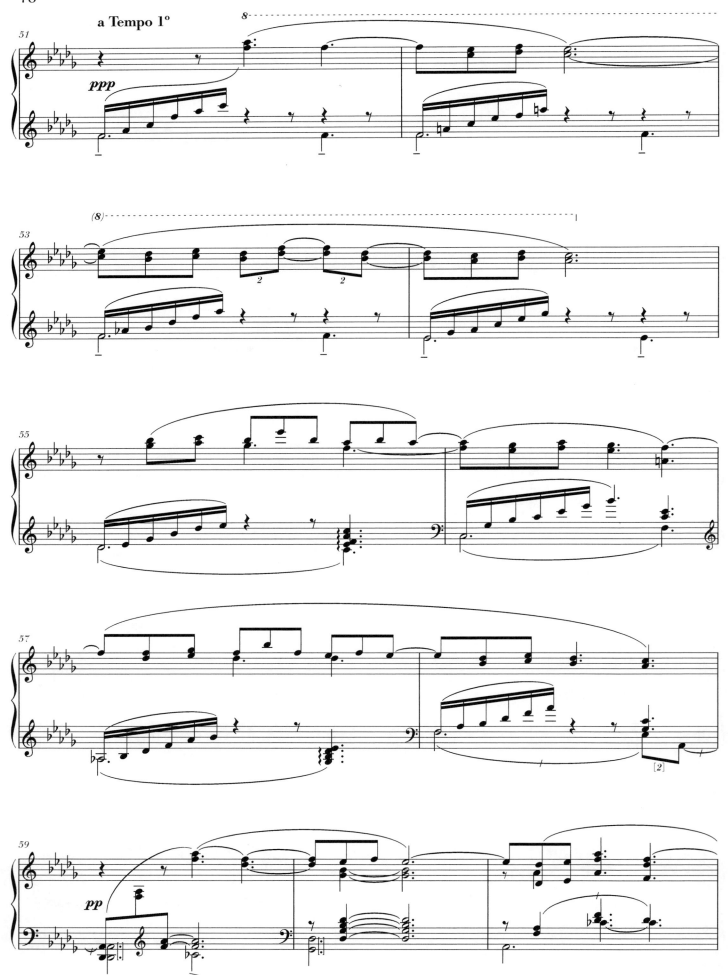

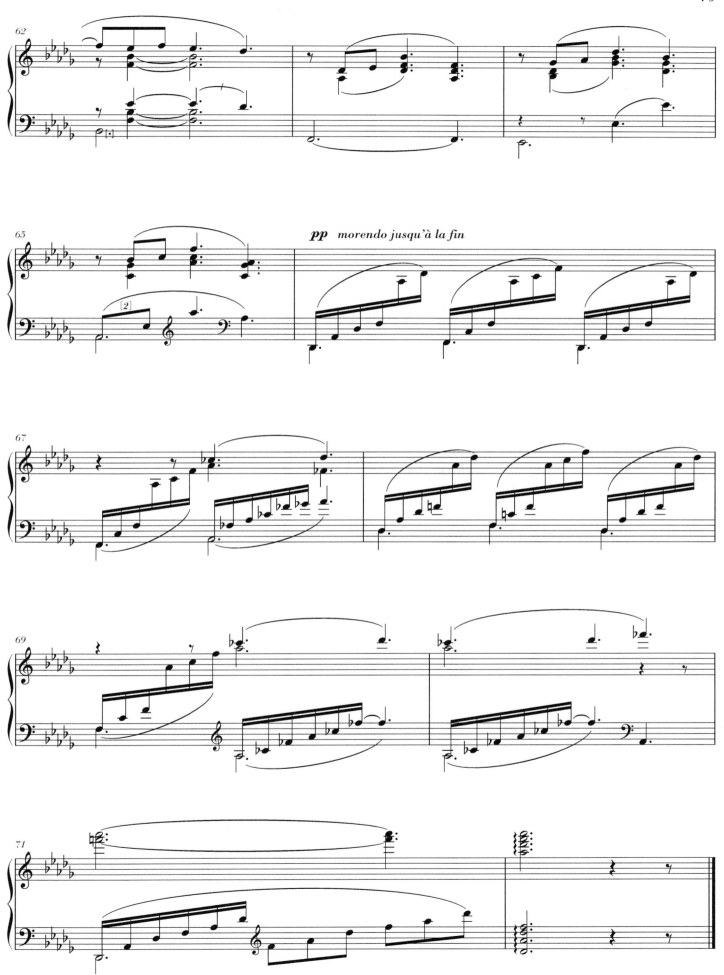

Passepied

Allegretto ma non troppo

également aux Éditions DURAND

ŒUVRES COMPLÈTES DE CLAUDE DEBUSSY

nouvelle édition critique
de l'intégrale de l'œuvre répartie en six séries

Volumes reliés pleine toile sous jaquette illustrée, format 230 × 310 mm.

Édition musicologique, textes de présentation bilingues (français-anglais) : avant-propos (chronologie des œuvres), bibliographie sélective, notes critiques (description des sources), variantes, appendices et fac-similés.

SÉRIE I : ŒUVRES POUR PIANO